DISNEY · PIXAR

WAL

D1003882

L'amour au premier bip

© 2008 par Disney Enterprises, Inc. Tous droits réservés aux niveaux international et panaméricain, selon la convention des droits d'auteurs aux États-Unis, par Random House Inc., New York et simultanément au Canada, par Random House du Canada Limité, Toronto, concurremment avec Disney Enterprises Inc.

Publié par Presses Aventure, une division
de Les Publications Modus Vivendi Inc.
55, rue Jean-Talon Ouest, 2e étage
Montréal (Québec) Canada H2R 2W8

Paru sous le titre original : *WALL•E, Love at first beep*

Traduit de l'anglais par : Marielle Gaudreault

Dépôt légal - Bibliothèque et Archives nationales du Québec, 2008
Dépôt légal - Bibliothèque et Archives Canada, 2008

ISBN 13 : 978-2-89543-929-5

Nous reconnaissons l'aide financière du gouvernement du Canada par l'entremise du Programme d'aide au développement de l'industrie de l'édition (PADIÉ) pour nos activités d'édition.

Gouvernement du Québec – Programme de crédit d'impôt pour l'édition de livres – Gestion SODEC

Imprimé au Canada.

DISNEP · PIXAR

WALL·E

L'amour au premier bip

Par Apple Jordan
Illustré par Caroline Egan, Seung Lee Kim,
Elizabeth Tate et Scott Tilley
Peint par Maria Elena Naggi, Mara Damiani,
Andrea Cagol et Giorgio Vallorani

PRESSES
AVENTURE

WALL•E est un robot.

Il vit complètement seul

sur la terre

Il passe ses journées
à empiler des déchets.
WALL•E veut en faire plus.

WALL•E est fait
de métal, mais il a
un grand cœur.

Il sait que l'amour existe.

Il l'a appris en regardant
un film.

WALL•E trouve des choses intéressantes dans les ordures. Il a trouvé une plante vivante.

C'est la première fois
qu'il en voit une.
Les plantes ne poussent
plus sur la planète.

Un jour, un vaisseau
spatial atterrit et un
robot lumineux en sort.

C'est le coup de
foudre pour WALL•E.

La nouvelle venue ne sait rien de l'amour. Elle a une mission à accomplir.

Elle doit trouver un signe
de vie sur la planète.

WALL•E lui demande
son nom. « EVE », dit-elle.

« Oh, Èèè-ve ! » s'exclame
WALL•E. Il veut tout
lui montrer.

WALL•E montre tout
ce qu'il possède à EVE.
EVE aime bien WALL•E.

WALL•E est heureux.

Il n'est plus seul,

maintenant.

WALL•E montre sa
plante à EVE. Elle la
lui arrache des mains
puis elle s'éteint.

Elle a trouvé de la vie.

Sa mission est accomplie.

WALL•E est déconcerté.

WALL•E essaie en vain
de réveiller EVE.
Il veille donc sur EVE
pendant qu'elle dort.

Ils font un tour de bateau.

Il la protège de la pluie.

Bientôt, le vaisseau spatial revient chercher EVE.

WALL·E veut la
suivre dans l'espace.
Il est amoureux fou!

EVE se réveille à bord

du grand vaisseau spatial.

WALL•E est là, lui aussi.

EVE est troublée.

EVE voit comment

WALL•E a bien

pris soin d'elle.

EVE sait maintenant
que l'amour existe.
Elle l'a appris de WALL•E.

WALL•E et EVE
reviennent sur Terre.

L'amour et la vie s'y étaient épanouis ensemble.